NE ME DIS PLUS
JAMAIS QUI JE SUIS

Danielle Fournier

NE ME DIS PLUS PLUS JAMAIS QUI JE SUIS

TROIS

Cet ouvrage est publié dans la collection OPALE.

©Éditions TROIS
2033, avenue Jessop, Laval (Québec), H7S 1X3
Tél.: (450) 663-4028, télec.: (450) 663-1639,
courriel: ed3ama@contact.net

Diffusion pour le Canada:

PROLOGUE
1650, boul. Lionel-Bertrand,
Boisbriand (Québec), J7E 4H4
Tél.: (450) 434-0306,
télec.: (450) 434-2627

Diffusion pour
la France et l'Europe:
D.E.Q.
30, rue Gay Lussac,
75005 Paris France
Tél.: 43 54 49 02,
télec.: 43 54 39 15

Cet ouvrage a été publié grâce à une subvention du Conseil des Arts du Canada et de la Société de développement des entreprises culturelles au Québec.

La rédaction de cet ouvrage a été rendue possible grâce à une subvention du Conseil des arts et des lettres du Québec.

Données de catalogage avant publication (Canada)
Fournier, Danielle, 1955-
    Ne me dis plus jamais qui je suis
    Poèmes.

    ISBN 2-89516-014-7

    I. Titre.

PS8561.O835N4 2000   C841'.54   C00-940494-5
PS9561.O835N4 2000
PQ3919.2.F68N4 2000

Dépôt légal: Bibliothèque nationale du Québec
            Bibliothèque nationale du Canada
            1er trimestre 2000

En page couverture: Danielle Lalande, «*Sur tes épaules, tu tiens une maison en pièces détachées.*» (D. Fournier), 2000, acrylique, pastel gras et graphite sur papier Arches, 60 po. x 44,5 po.
Photo de l'auteure: Daniel Cloutier

Ne me dis plus jamais qui je suis

«...nous ne savons pas, nous, ce que nous sommes. Nous ne sommes pas uniquement nous-mêmes. Nous ne sommes que le minuscule noyau de notre être, et le reste, c'est une masse confuse d'additions inconnues, suivant celui qui nous regarde»

Rosamond Lehmann

Je est une identité plurielle

cela aurait pu se passer ainsi et ressembler à un échec. Dans la prison de cette histoire d'amour, l'idée même de l'évasion s'évanouit. Le souffle de l'ange te rembrunit toi, déjà assombrie

tu aimerais, maritime glacée, crier folie hurler Beckett; les voix orages grondent au-delà de tes mots et te rappellent l'origine des mères ou des romans d'eau. Tu rôdes derrière, un miroir dans la tête

tout sera vert, te dis-tu

tu parles des glissements furtifs, sur le
tapis; il te faut ébranler les murs vides
avant qu'il ne soit trop tard, toi refroi-
die dans les salles tièdes

mise en lambeaux sous les becs d'éper-
viers, rapaces et autres formes de ta co-
lère, je paie pour ce que je suis deve-
nue

sur tes épaules, tu tiens une maison en
pièces détachées. Tu portes un arbre
dégarni dans la tête, une simple étoile

sans raison, il hait la bouche ouverte et
profère des menaces de mort aux crânes
rasés, germes du mépris des sexes; que
peut-il survivre dans ses ténèbres

impossible
mot amour sur terre de désolation
bonheur
touché du bout des doigts

tu tends les mains. Les chattes hurlent
de mai à juin, tu caresses des cheveux,
embrasses des chairs, tu revois là d'où
tu t'es expulsée. Tu te domines du regard

le jour se lèvera sans te trouver morte

l'incandescence donne prise à la sirène:
me protéger sans bouclier

tant de hargne que tu ne sais vaincre;
tu regardes ce qui ne te touche pas, cris-
tallisée d'insomnie

rage, ta tristesse n'aura apaisé
ni rancœurs ni souffrances
noyée

tu n'es pas seule. Les anciens esprits
tiennent conseil; poussières. Ville simple,
impuissante et surannée, ville gyrophare
des silences Capillaria

l'ordre, la mesure ou la loi s'éteignent
dans ta peur, les odeurs de ta nuit se
consument dans la force du délire

noyée

dans le coucher de soleil, ta poupée porte le pansement sanitaire des blessés de guerre

reste de sang sous les pieds. Ton sexe gêne. Là ou ailleurs, sale, tu hantes tes chagrins. Tu retrouves tes langages épuisés; tu ne souffres pas. Tu cherches des voix; la mère ne rougit plus. Déformée par tant d'appels

jour nuit jour nuit. À l'aurore, tu constates les apparences arythmiques. Les souvenirs s'estompent dans ta langue blessée. Comment expliquer ce qui ne vient pas aux lèvres et demeure ravalé dans le feu?

sauvée; tu n'es pas là

pinceaux épars et coups de langue géographique aux Piles, tombes creusées sur dépouille humide; des mains à même ta peau ce vent de tête. Tu rejoins tes morts décharnés sur le St-Maurice en fureur

se multiplient inspirations et massacres d'innocents, villages dévastés, incontinence en photographie, ton nom pris au piège sur les rives acides des rires, la vilenie peinte de démesure, tu évoques ta pornographie

ou cela aurait pu être différent et ainsi
provoquer d'autres fébrilités vers de lumi-
neuses écorces de pluie; tes yeux crachent
les glaires et les rognures d'ongles

dans ton silence, des cris d'outre-ventres
s'opposent aux souvenirs plume de verre;
odeur des nids d'hirondelles de terre sur
le coteau; un drap blanc séché au soleil, sur le foin

il faut peu de mots

est-il souffrant de longer une route heureuse ô bonheur! impossible plénitude, impensable don, ne dire aucun nom, taire ces projets liés au désespoir des esprits

personne. Tu marches lourde; tu tentes le signe des dieux. S'accumulent des désirs liquides venus de lointaines forêts de pins parasols

à qui appartiens-tu, trouée et sexe mordu sous le coup des mots sans âge?

inchangée, malgré les mouvements rudes, tu as peur de cette parole d'amour. Qui ai-je trop attendu?

Juin

«Avec les femmes, on ne pouvait
jamais savoir.»

Agatha Christie

juin. Alice blanche lin
août devenu fontaine
le Nacier en Ardèche
le jardin en friche

l'amant Chassezac des anciens collèges
avec toi, la Matawin, les petits fruits
dans notre bouche

panache d'orignal
ton Alice, née en octobre, a l'odeur de
mai
en hiver

pommier et poirier, fleurs
couleur verglas janvier
bleue
tu le veux

juin, vide
invraisemblables soirées de septembre
larmes sur les fleuves
ces rivières, à vau l'eau de Vans
devant, les plaines
voix ensommeillées
au loin, les craquements des os
dire les verts de pluie,
les seaux d'eau, les danses des enfants
de ladies, ces rires, ces rires

je ne suis pas ce que je suis
handicapée d'amour

seule; fauve, hululements rauques, cri
des oiseaux, Éva l'Allemande
sauvages, gitanes de Roumanie

sous le pont des chaînes te jurer la
Toussaint au plus tard en novembre
je te promets

je ne suis pas celle que tu crois

ce n'était pas moi
ni mon âme
mais mon ombre
couleur Alice
en juin
la parenthèse du désir rentré d'exil

les jours raccourcissent
allongent
les douceurs chaudes

des noms oubliés
interminable odeur de mémoire
conjugale
sous le tilleul
à Berlin en moi
à St-Fabien où je n'irais pas
à Paris où tu seras

en juin
sur le Danube
octobre à venir

février
des passions
le banal chagrin des limbes
hôtel Place de la Bastille

au jour
le crépuscule
à l'encre de thé
échardes de mers roulées
sur le dos des enfants
nuages d'or et moutons de nuit

je ne suis plus ce que tu crois

cri
sable enflé de mensonges
ce roc lointain, broyé
dans le quartier du château
en Saxe

des îles blanches nuits
madeleine à la Saint-Jean
Pologne explose rue Montréal
érables à sucre sur rive nord

terre
Alice au ventre
ta bouche sur ma blessure
près du Saint-Laurent
jamais nous ne serons davantage
étrangers

jamais
penser
ni
écrire
le couteau
dans
la
tête
pourtant
avenue des pins
l'amour
devant
mes yeux
blanche
en juin

au goût de l'eau
ne pas reconnaître
cette crise du cœur
étouffement: chair meurtrie

comment ne pas se souvenir
nous
qui ne nous souvenons jamais

sans sombrer
illumination
œuvre de l'amoureuse

parce que
éraillée

cette éternité

carmélites au parloir silence
mille femmes trahies
fugaces silhouettes briquetées
la lune entre leurs jointures
de juin en novembre
autour, une mélancolie
ambivalence des peaux

pointe religieuse
enrouée et prisonnière
loin de très loin
je n'arrive pas à oublier

cas ou figure
à l'échine cassée

forme du cœur
ciel bas
gamme en mode mineur
je tais l'intérieur

accueillir la dernière fois
sans tenter l'impossible
ô toi
vague vétiver couleur quartz rose

parfum des lettres
arrachées au fleuve

ce qui t'apaise me tue
aimée morte

Jamais plus

«Je cherche, et je m'étonne un peu de voir autour de moi tant de gens qui trouvent...»

Philippe Delerm

derrière
la complainte des enfants morts
goût d'oranges amères

tu marches seule
poussée
avenue plage déserte
sable blanc

tu parles une langue noire, refoulée de
sons cigales. Tu parles cette langue de
perroquets neutres. Tu te moques de ces
peaux sombres

un chat dans la gorge
tu remontes une rue
vide
le mascaret

vaudous d'Orléans et de Louisiane, rom-
pue jusqu'à plus soif, parmi les nègres de
hasard, au son de la Marseillaise, tu ne
te penses pas: tu danses

tu ne sais de quel bleu mer
Bartók se teint les cheveux

tu pleures
sanglots ravalés

Prospero
tu ne le reconnais pas
ces mains
tu ne les distingues pas
ce matin sous ta brûlure

isolée dans la surdité

tu tiens à la vie
par la peau des dents

celle qui passe s'assure que personne
ne regarde ses seins tomber

dehors
ni chaud ni frais
lame de sel Camargue
arbre blanc
aux Saintes

rosier patio gelé sous mer

restera-t-il de l'eau sur cette terre

paupières closes
corail dis-tu
ongles rose racaille
gueules sombres
tu te sais noire
pour ton malheur
jamais plus
la peur

cendres ou sangles
tes sanglots interrompus
cilices sans nom

amours ébréchées
depuis bien avant
janvier

tu reviendras rajeunie
dimanche
femme diaphane en rut

pour ton malheur
mardi appartient à la nuit
excentrée avant d'être
décentrée
à crier tu te tais
pleine lune déclinée

de quel siècle émerges-tu
d'expositions Claudel
à bout

ce que tu n'es pas

chargé des délices
d'Orient et d'Est
inconnus

jamais plus en moi veut dire toujours

Les amants brisés...

«...sur le chemin d'une souffrance que je
devine fulgurante.»

Katherine Pancol

grande eau rousse
un rayon précis
tombe la résistance

puisque tout revient
échappe puis te ressemble
le jour n'est pas venu

conquistador mulâtre
poudre d'os et tempête
vents du Nord, giboulées d'avril

mercredi
au nom de quel père ce mardi

immobilité minutieuse de la mémoire

jour couleur vin
couleur jour
blanc sur nuit

exercice pour extérieur nuit
trempée   fixe
parole bègue insoupçonnée
vide
draps humides
parole entourée de sueur

je bois désenivrée

sur elle-même
le commencement
exit
l'homme sans mémoire

sur elle-même
sédiment de sa chair
cette fin chien et loup
je me suspends

j'oublie qui je suis
lexique pauvre

homme et femme
toi
jamais plus de joie devant le Tendre
mémoire segmentée
d'anciennes dentelles
pâle imitation
autres alluvions hagiographiques

je suis ce texte vierge
moi qui ne l'ai jamais été
texte vierge
d'une virginité extraite de la rue
où tu reviens

il est l'heure
de s'embrasser
au hasard des langues
de pierres

aux cent feux
des eaux profondes
je, mots ensevelis,
passe à d'autres
muette
nulle et excisée

déchaînée
par le mensonge

dans quel monde n'existes-tu plus

prisonnière

petites morts sans histoire
murmurent
l'inconnue de l'Est

honte et rage mêlées, éteintes
ta langue dure s'infiltre
d'illusions bercées
lèvres résignées

comment continuer
ces traces de labours d'automne
grâces issues de rien
des brumes peut-être
comment ne pas nous imaginer derrière
le tombeau détruit

j'ai rêvé l'éternité
mariage de la honte
à St-Venant, les perdrix
boire encore boire
pour être fanée

la place vide des monts manquants
frontières sacrifiées d'Amérique
de Cuba à Paris le Groenland
cédées au Labrador

grondement océanique des mots
j'ai perdu ce que j'avais déjà perdu
pour apprendre ce qui ne se sait pas

dépeuplée
cette femme éplorée
n'est pas moi

je songe à la douceur
certains soirs
de neige au loin
et de la peur dont je parle

ta voix me déchire

puisque je sais

angéliques exhortations
au nord, la rive sud
de Montmagny à St-Ignace, Ste-Luce
quatre voix de femmes
jamais les mêmes
consommées sous d'autres mers
voguer de rire en fuite
fatale

puisque je le sais

ancien alphabet entre mes cuisses
lettres dorées d'ombre

je le sais

littoral, plage et coquillages de Sète
comment oublier
lits fracturés sur planchers sans solives
je ne dors plus
je ne dors plus
ne sais plus la chambre d'août

je joue à ne pas veiller
sans boire, je risque
ce qui ne peut plus m'arriver

des corps écueils
jamais ensemble
sous haute surveillance de haine

nous ne saurons plus qui nous sommes

le matin à l'aube
où
nous
ne
saurons
plus

comment créer
quand on étreint
une ride

semblable
une époque où
nous
ne
sommes
pas

odeur chanvre d'un papier
de la Californie
l'ailleurs blessé

sans toi; heureuse
surtout
sans toi

sans vengeance ni répulsion
au solstice de juillet
quatre voix de femmes
à la chaux blanchies
au creux du lit

sur leur corps, un tank
pas de mort
l'agonie
j'en appelle à l'amour

au nom de l'amour

depuis ton air gris
à bout, la fêlure
arbres déchirés de vent

couleur peau
un souffle aiguisé et terni
compte à rebours

devant moi
je ne m'ennuie plus
Maïakovski

une jupe trop petite
ourse couleur louve
la main moite, toison reniée
tu restes là

couleur maman
citerne d'acier
marbre de salon bleu d'hiver

folle avoine
demeure intermédiaire
regards d'ailleurs
dans d'autres lits
couleur sang
te dis-tu

couleur maman

à répéter répéter
le vin de 10 heures le mardi
celui de 15 heures le jeudi
soirée d'étoiles défaites
décor en trompe l'œil

infinie architecte
ne me dis plus jamais qui je suis

spectacle épuré
à Martha's Vineyard
berges d'aurores boréales
outre-Atlantique
je me tais pour dormir

électronique
ce printemps sans nappe

je t'écoute parler pour ne rien dire

Le visage tourné vers l'abandon

voix endormies: puissants intervalles
apprentissage des grands
lacs à la brunante
alors
émergent des harems de contrebande

tu triches avec l'insomnie

tu as peur de revoir
l'horreur
mise en mots

tu imagines la noirceur
les yeux fermés
du sommeil

encore

qui t'amène te devine
effarouchée
devant tant de ressentiment
abattue

tu bois lasse
splendeur muette
anéantie tu t'arraches au temps
dans l'expérience de la misère
le pouce entaillé par sa mort en avril
tu habites ta propre nuit

ni jour ni souffle
mystère
l'autre continent

tu te demandes
comment supporter cette odeur
épuisée d'avoir été et peur d'être
éphémère

à l'infini
tu n'as plus peur
tu apprivoises tes miroirs

au loin la guerre
la sienne

sans toi

tu vois Gibraltar et fermes des caisses
fais semblant
d'aimer le champagne de Noël

tu ne penses plus
tu ne sais pas
tu te tais

tu regrettes de ne pas regretter
tu bois Mercurey, Fitou, Cahors

tu achètes des fleurs jaunes
mauves

tu ne trouves pas la maîtresse
tu gardes les fleurs ou bois
un mauvais vin
tu espères dormir
sans rêver

rire impossible
tu te caresses devant la glace
embuée

tu as oublié le rosé
vendredi
à la pension
embarquement d'ombres

gelée

tu ne naîtras pas du désert ou du rêve
mais viendras vers ce qui arrive
tu te surprends
dans une chambre au lieu d'un pays

tout quitter
pour l'autre en soi
tu n'aimes pas le neutre

tu regardes danser ta fille
tu crains pour elle
tu ne dors pas
tu crains pour elle
la puissance du père
tu crains pour elle
les turbulences de la mère
tu ne dors pas

tu bois la nuit
tout le jour

tu aurais tant voulu
qu'il te reste ton désir

rien d'autre
que ce verre plein

nue dans la lumière
étouffée

tu photographies les premières rides
accompagnée de ton livre

de l'amour
tu es revenue aimée

sans lui
pour toi
sans joie
comme toi

l'oubli
ouvragé des cœurs
songe et apparition envoûtés

avant octobre, la neige et le tango
éreintée sur les berges
pourquoi la peur
pour qui arrachée

au commencement
les arbres, le bleu du ciel
un corps, un geste
le soleil dans la prairie
boire
les pensées de l'autre

à   boire toujours

tu ne vivais pas dans la crainte
pas encore tu ne vivais pas
tu te séparais sans bouger

chuchotements

à dire
la fin de l'inconnu
un miracle à vivre
étranglée plutôt ravagée

«Tu n'as plus rien, tu n'as plus personne,
tu n'es plus personne.»

Paule Constant

je n'étais plus ce que j'avais été je n'étais
pas encore autrement

Ciels ensilencés

poussée par le vent
je vais essoufflée
au bout de ce qui ne peut plus être

moi, assassinée
je cours, m'enfuis
musique militaire

au fond
pleurer ne pas bouger

en moi ce qui n'arrive à se dire ailleurs
dans cette dérive entre les mondes
amour aboli
je retiens le sexe des créatures
hors d'elles-mêmes

ma présence aux bruits familiers
appartient aux oiseaux
enivrés de cerises

qui te regarde
ne remarque pas ta réelle obscurité
en toi, l'indifférence
désordre d'illuminé
Gestapo de clichés
tu entres en moi pour la parade

cette phrase née de la rupture des corps
n'a de nom
que fond rouge au soleil

archéologue
je marche et me traverse
route barrée à l'inaudible

cachetée d'infidélités
à tout donner

ne rien recevoir

absente et folle au mirage intérieur
ni de l'un ni de l'autre

écorchée

je ne fuis pas
je me rends
je ne vais nulle part
je ne reviens plus

tronçonné à ta peau
une fissure
père beau nom d'amour
je sais tout cela

tu vis dans la violence
chair et os rongés
tu ressembles à ta parole
carabine tronquée
retirée en janvier donnée en septembre

ne plus jamais y revenir
rue de la Passagne

ni te rencontrer ni te revoir

je retiens les destins déshabités
dans la peur et la haine

insondables degrés de l'amour
incertitude de l'âme
je hante la maison vide

comment expliquer aux enfants
la trace des os brisés sur les écritures
aux bords bleus quand tu n'aimes que
l'adultère et les plaisirs de la trahison

de face, le froid
aux rumeurs de la ville
terroriste en mal d'aventures
tu auras voulu mon inexistence

en barricade, ton impuissance
tu t'empares du cadavre
caches le fantôme
point de fuite

du bout du monde
mentir du plus loin que l'âme

je baigne enveloppée
du fleuve et des mers du Nord

certainement la mélancolie
je suis Vienne Prague Budapest
je dispose mes eaux à ton continent
ton ciel brûlant sur moi

suivent; sillons sur ma vulve
sur le sol
échouée, je me reprends
me cherche affolée

de la mer verte

tessons ardents
suis-je celle-là

entre tes gratte-ciel, tes avenues
autres boulevards
moi, sérieuse
vraiment celle-là

cette impression
d'être égarée de sens
dans ta bouche
devenir ta salive

miroir sans tain
mangeoire où bœuf et âne et anges
passent le temps
l'alcool dans les veines
du cœur

parce que je me souviens
je ne peux échapper au vide

prise de vertiges
au milieu de toutes les nuits
rien
je revois ces scènes
trop souvent revues

me montent dans cet amour de l'âme
l'allégresse des haleines de juin à
septembre

le regret d'être allée jusqu'au bout
pour ne rencontrer que le néant

je le dis sans honte
tout le jour, je bois sans ivresse
et plus jamais tu ne me diras qui je suis

Table des matières

De la même auteure

Récits

Les mardis de la paternité ou Le regard appris,
Montréal, Mœbius/Tryptique, 1983.
De ce nom de l'amour; le détournement de l'initiale, Montréal, Tryptique/Ponctuation, 1985.
L'empreinte, Montréal, VLB éditeur, 1989.

Poésie

Objets, Cris, Montréal, VLB éditeur, 1989.
Projet d'un amour, entre autres choses, occidental (Work in progress), Roubaix (France), éditions Brandes, 1990.
Personne d'autre que l'amour, Montréal, Éditions du Noroît, 1994.
Langue éternelle, Montréal, Éditions du Noroît, 1998.

Essai

Dire l'autre, Montréal, Fides, 1998.

Catalogue des Éditions TROIS

Cixous, Hélène
La bataille d'Arcachon, conte, 1986.

Collectifs
La passion du jeu, livre-théâtre, ill., 1989.
Perdre de vue, essais sur la photographie, ill., 1990.
Linked Alive (anglais), poésie, 1990.
Liens (trad. de Linked Alive), poésie, 1990.
Tombeau de René Payant, essais en histoire de l'art, ill., 1991.
Manifeste d'écrivaines pour le 21e siècle, essai, 1999.

Coppens, Patrick
Lazare, poésie, avec des gravures de Roland Giguère, 1992.

Côté, Jean-René
Redécouvrir l'Humain — Une manière nouvelle de se regarder, essai, 1994.

Daoust, Jean-Paul
Du dandysme, poésie, 1991.

de Fontenay, Hervé
silencieuses empreintes, poésie, 2000.

Deland, Monique
Géants dans l'île, poésie, 1994, réédition 1999.

Deschênes, Louise
Une femme effacée, roman, 1999.

DesRochers, Clémence
J'haï écrire, monologues et dessins, 1986.

Doyon, Carol
Les histoires générales de l'art. Quelle histoire!, préface de Nicole Dubreuil-Blondin, essai, 1991.

Latif-Ghattas, Mona
   Quarante voiles pour un exil, poésie, 1986.
   Les cantates du deuil éclairé, poésie, 1998.
   Nicolas le fils du Nil, roman poétique, 1999,
   nouvelle édition augmentée.

Lorde, Audre
   Journal du Cancer suivi de *Un souffle de
   lumière*, récits, en coédition avec les
   Éditions Mamamélis, Genève, 1998.
   Zami: une nouvelle façon d'écrire mon nom,
   biomythographie, en coédition avec les
   Éditions Mamamélis, Genève, 1998.

Martin, André
   Chroniques de L'Express — natures mortes,
   récits photographiques, 1997.

Mavrikakis, Catherine
   Deuils cannibales et mélancoliques, roman,
   2000.

Meigs, Mary
   *Femmes dans un paysage, Réflexions sur le
   tournage de* The Company of Strangers,
   traduit de l'anglais par Marie José Thériault,
   1995.

Merlin, Hélène
   L'ordalie, roman, 1992.

Michelut, Dôre
   Ouroboros (anglais), fiction, 1990.
   A Furlan harvest: an anthology (anglais,
   italien), poésie, 1994.
   Loyale à la chasse, poésie, 1994.

Miron, Isabelle
   Passée sous silence, poésie, 1996.

Mongeau, France
   La danse de Julia, poésie, 1996.

Morisset, Micheline
  Les mots pour séduire ou «Si vous dites quoi que ce soit maintenant, je le croirai», essais et nouvelles, 1997.
  États de manque, nouvelles, 2000.

Ouellet, Martin
  Mourir en rond, poésie, 1999.

Payant, René
  Vedute, essais sur l'art, préface de Louis Marin, 1987, réimp. 1992.

Pellerin, Maryse
  Les petites surfaces dures, roman, 1995.

Pende, Ata
  Les raisons de la honte, récit, 1999.

Prévost, Francine
  L'éternité rouge, fiction, 1993.

Richard, Christine
  L'eau des oiseaux, poésie, 1997.
  Les algues sanguine, poésie, 2000.

Robert, Dominique
  Jeux et portraits, poésie, 1989.

Rule, Jane
  Déserts du cœur, roman, 1993, réédition 1998.
  L'aide-mémoire, roman, 1998.

Savard, Marie
  Bien à moi/Mine sincerly, théâtre, traduction anglaise et postface de Louise Forsyth, 1998.

Sénéchal, Xavière
  Vertiges, roman, 1994.

stephens, nathalie
  Colette m'entends-tu?, poésie, 1997.
  Underground, fiction, 1999.

Sylvestre, Anne
  anne sylvestre... une sorcière comme les autres,
  chansons, ill., 1993.

Tétreau, François
  Attentats à la pudeur, roman, 1993.

Théoret, France et Francine Simonin
  La fiction de l'ange, poésie, gravures, 1992.

Tremblay, Larry
  La place des yeux, poésie, 1989.

Tremblay, Sylvie
  sylvie tremblay... un fil de lumière, chansons,
  ill., 1992.

Tremblay-Matte, Cécile
  *La chanson écrite au féminin — de Madeleine
  de Verchères à Mitsou*, essai, ill., 1990.

Varin, Claire
  Clarice Lispector — Rencontres brésiliennes,
  entretiens, 1987.
  Langues de feu, essai sur Clarice Lispector,
  1990.
  Profession: Indien, récit, 1996.
  Clair-obscur à Rio, roman, 1998.

Verthuy, Maïr
  *Fenêtre sur cour: voyage dans l'œuvre
  romanesque d'Hélène Parmelin*, essai, 1992.

Warren, Louise
  Interroger l'intensité, essais, 1999.

Zumthor, Paul
  Stèles suivi de *Avents*, poésie, 1986.

Achevé d'imprimer
sur les presses de
MédiaPresse Inc.
Joliette QC
premier trimestre 2000